Boucle d'Or et les trois ours

Illustrations de J.-L. Macias S.
Textes de M.-C. Suigne

Connaissez-vous Boucle d'Or ? C'est une jolie petite fille
aux beaux cheveux blonds. Mais cette petite fille est très
curieuse. Un jour, lors d'une promenade, elle aperçoit une
maisonnette nichée entre les grands arbres. Boucle d'Or
décide aussitôt de la visiter.

Editions HEMMA

Voici donc la fillette entrant dans la petite maison.
A peine a-t-elle franchi la porte d'entrée qu'elle voit
une grande cheminée et une table dressée. Trois
chaises de grandeurs différentes l'entourent. Une
soupière y est posée, entourée par trois bols : un
petit, un moyen et un grand bol. Etonnant !

Boucle d'Or s'approche de la table et voit, toute contente, que les trois bols contiennent le plat qu'elle aime par-dessus tout : du gruau. La fillette, très gourmande de nature, ne peut résister à la tentation. Elle mange le contenu du petit bol. «Hum, que c'est bon!», se dit-elle tout en poursuivant son repas. Elle n'en laisse pas une miette, puis pousse un soupir de satisfaction. Elle n'a plus faim.

Boucle d'Or se met alors à regarder tout autour d'elle et remarque le petit tabouret garni d'un charmant coussin à gros pois rouges. Elle court s'y asseoir. Mal lui en prend ! Le tabouret ne résiste pas à son poids et c'est la chute. La voici par terre au milieu des débris du petit siège.

Notre amie se sent soudain
fatiguée. Où trouver un
lit ? se demande-t-elle. Allons voir
en haut ! Arrivée au premier étage, elle voit
en effet une grande chambre avec trois lits :
un grand, un moyen et un petit. Boucle d'Or
se glisse doucement dans le petit lit. «Mais qui
donc peut bien vivre ici?» se dit-elle tout en
s'endormant.

La jolie petite maison cachée dans la forêt est habitée par une famille ours : Maman, Papa et Petit Ours. La promenade se termine et ils s'en retournent chez eux où un bon repas les attend. Petit Ours précède ses parents et joue au cerceau. Monsieur Hibou les salue au passage, abandonnant un instant la lecture de son journal. Maman Lapin prend l'air à l'entrée de son terrier avec ses trois lapereaux.

Papa Ours est perplexe devant ce désordre. Qui a bien pu pénétrer ici ? Maman Ours inspecte les bols tandis que Petit Ours, dépité et en colère, contemple son bol vide et son tabouret tout cassé.

Papa Ours a vite fait le tour du rez-de-chaussée. Rien en vue. «Allons voir dans la chambre», dit-il alors, et ils se rendent tous les trois à l'étage. La porte palière est grande ouverte. «Silence», chuchote Papa Ours, «nous allons surprendre notre visiteur inattendu. Marchons sans faire de bruit».

Arrivés dans la grande chambre, ils aperçoivent Boucle d'Or endormie dans le petit lit. Cette dernière s'éveille brusquement et voit, devant elle, trois ours pas contents du tout. La petite fille se recroqueville de peur sous les couvertures. «Je vais tout vous expliquer», bredouille-t-elle d'une petite voix tremblante.

«Je l'espère bien», répond aussitôt Papa Ours de sa voix la plus sévère. «Que faites-vous chez nous?».
«Je me promenais dans la forêt quand j'ai vu votre maison», répond la petite fille toute craintive. «Je suis entrée et je n'ai pas pû résister au bol de gruau. J'ai tout mangé puis, comme j'avais sommeil, je suis montée me coucher. Voilà, c'est tout!».

Papa Ours ne semble pas convaincu et son expression sévère donne la chair de poule à notre amie. «Que vont-ils me faire?» se demande-t-elle. «Je ne pourrai peut-être jamais rentrer chez mes parents. Que j'ai peur!»

D'un bond, Boucle d'Or saute hors du lit et se précipite
vers la fenêtre, seule issue pour fuir selon elle.
«Attendez, ne faites pas cela», lui crie Papa Ours.
«Nous ne voulons aucun mal. Nous ne sommes pas fâchés,
seulement surpris. Mettez-vous à notre place : trouver
quelqu'un endormi dans notre chambre!».

La petite fille raconte à nouveau, avec beaucoup de détails, toute son aventure. Tout le monde rit. «Restez donc encore avec nous», lui propose Maman Ours. «Notre fils a tant envie de jouer avec vous.» Boucle d'Or joue alors tout l'après-midi avec son nouvel ami. Ensuite, elle quitte la petite maison dans la forêt; mais elle reviendra souvent rendre visite à ses nouveaux amis.

Editions HEMMA
N° d'impression : 2468710

Imprimé en Belgique
Dépôt légal : 6.87/0058/